图书在版编目(CIP)数据

野兽出没的地方/〔美〕桑达克（Sendak,M.）著、绘；
阿甲 译. —济南：明天出版社，2009.9
书名原文：Where the Wild Things Are
ISBN 978-7-5332-6021-7

Ⅰ.野… Ⅱ.①桑… ②阿… Ⅲ.图画故事—美国—现代
Ⅳ.I712.85

中国版本图书馆CIP数据核字（2009）第061379号

责任编辑：刘 蕾
美术编辑：于 洁
特约编辑：邢 华　张 冬　张 靓
装帧设计：杜 平

野兽出没的地方

〔美〕莫里斯·桑达克 著；阿甲 译

出 版 人：刘海栖
出版发行：明天出版社
　　　　　山东省济南市胜利大街39号　邮编：250001
　　　　　http://www.sdpress.com.cn
　　　　　http://www.tomorrowpub.com
经　　销：新华书店
印　　刷：利丰雅高印刷（深圳）有限公司
版　　次：2009年9月第一版　2009年9月第一次印刷
规　　格：254×228mm　　12开
印　　张：4
印　　数：1—50,000
ISBN：978-7-5332-6021-7
定　　价：29.80元
山东省著作权合同登记号：图字 15-2009-057

如有印装质量问题，请与出版社联系调换。　电话：(0531) 82098710

野兽出没的地方

野兽出没的地方

[美] 莫里斯·桑达克 /文图　阿甲 /译

明天出版社

那天晚上，麦克斯穿上狼外套在家里撒野

没完没了

妈妈叫他："你这个野兽！"
麦克斯却说："我要吃了你！"
妈妈不给他吃晚饭，让他去睡觉。

那天晚上，麦克斯的房间里长出一片树林

长啊长……

藤蔓爬满了天花板

四壁变成了旷野

大海上漂来一只"麦克斯"号小船
他扬帆起航，过了一夜又一天

过了好多个星期
过了几乎一整年
去到野兽出没的地方。

当他来到野兽出没的地方，
它们发出可怕的吼声露出可怕的牙齿

亮出可怕的眼睛伸出可怕的爪子

麦克斯喊："定!"
他对它们施了魔法——

盯着它们的黄眼珠一眨也不眨
它们好害怕，都叫他最野最野的野兽，

它们请他做野兽之王。

"现在，"麦克斯大叫，"野兽闹腾开始了！"

　　"停！"麦克斯说道。他让野兽们去睡觉，
不给它们吃晚饭。野兽之王麦克斯感到很孤单，
他想待在有人最爱自己的地方。

从旷野四周远远地飘来
好吃东西的香味，
于是他决定不再当这个地方的国王。

可是野兽们哭喊着："噢，请不要走——
我们要吃了你——我们太爱你了！"
麦克斯却说："不！"

野兽们发出可怕的吼声露出可怕的牙齿
亮出可怕的眼睛伸出可怕的爪子,
麦克斯却踏上"麦克斯"号小船,向它们挥手告别。

过了整整一年
过了好多个星期
过了一天

又回到他出发前的那个晚上，
他发现房间里为他准备的晚饭

还热着呢。